형태그리기 ^{1-4학년}

형태그리기 _1~4학년

1판 1쇄 발행 · 2013년 4월 24일
개정판 발행 · 2016년 9월 1일

지은이 · 에른스트 슈베르트, 로라 엠브리-스타인
옮긴이 · 하주현

펴낸이 · 발도르프 청소년 네트워크 도서출판 푸른씨앗

책임 편집 · 백미경 ǀ 편집 · 백미경, 최수진
디자인 · 유영란, 이영희
번역 기획 · 하주현
마케팅 · 남승희 ǀ 해외 마케팅 · 이상아
총무 · 이미순

등록번호 · 제 25100-2004-000002호
등록일자 · 2004.11.26.(변경신고일자 2011.9.1.)
주소 · 경기도 의왕시 청계동 440-1번지
전화번호 · 031-421-1726
전자우편 · greenseed@hotmail.co.kr
홈페이지 · www.greenseed.kr

값 **10,000원**
ISBN 979-11-86202-09-8 63410

 재생 종이로 만든 책

푸른 씨앗의 책은 재생 종이에 콩기름 잉크로 인쇄합니다.
겉지_ 한솔제지 앙코르 190g/m²
속지_ 전주페이퍼 E-Light 80g/m²
인쇄_ (주) JEI재능인쇄 ǀ 031-956-3167

도서출판
ㅍㄹㅆㅇ
푸른씨앗

형태그리기 1-4학년

에른스트 슈베르트, 로라 엠브리-스타인 지음

하주현 옮김

차례

책을 내며   5

머리말   6

1학년   9

2학년   25

3학년   30

4학년   36

형태와 기질   47

교사를 위한 형태그리기   51

맺음말   54

참고도서   55

【일러두기】

본문의 각주는 모두 역주입니다.

1996년 캘리포니아주 새크라멘토에 있는 루돌프 슈타이너 대학에서 발도르프 교사 연수 과정 여름 학기가 열렸다. 이 강좌에서 형태그리기 수업에 관한 책이 필요하다는 요구가 대두했고, 그 과목을 지도한 에른스트 슈베르트Ernst Schuberth는 제자였던 로라 엠브리-스타인Laura Embrey-Stine과 함께 발도르프 교사들이 1학년부터 4학년 학생들에게 형태그리기를 가르치는 데 지침서가 될 책을 함께 집필했다. 이 책에는 앞서 언급한 교사 연수 중 형태그리기 강좌 내용과 함께 수업에서 활용할 수 있는 학년별 형태의 예시를 수록했다. 인지학과 발도르프 교육학에 근거한 아동 발달에 대해 기본 개념이 있는 발도르프 교사를 염두에 두고 쓴 책임을 일러둔다.

머리말

형태그리기는 발도르프 교육의 독특한 과목 중 하나로 루돌프 슈타이너가 1919년 슈투트가르트에서 열린 교사 세미나[01]에서 수업으로 제안했다. 형태그리기를 만난 교사들은 이것이 아이들 교육에 큰 도움을 줄 수 있는 도구임을 금방 알아보곤 한다. 이런 느낌을 뒷받침해줄 근거는 여러 가지가 있다.

가장 단순하면서도 직접적인 이유는 소근육 발달을 도와준다는 점이다. 이는 문자 학습을 위한 준비 단계로, 나중에 실제로 글자를 쓸 때 중요한 역할을 한다. 형태그리기는 눈과 손의 협조 능력을 강화시켜 마부가 말을 훈련하듯 눈이 원하는 대로 손을 움직일 수 있도록 훈련시킨다. 반대로 손의 움직임으로 인해 두뇌를 훈련시키는 효과도 있다. 뿐만 아니라 형태그리기는 미술의 한 영역에 속하며, 그런 특성으로 인해 아름다움과 형태에 대한 감각을 자라나게 한다. 또 다른 근거로 사고의 힘을 키워주는 효과가 있다. 하지만 지성을 이용하는 방법으로 사고를 가르치는 것이 아니라 지성을 유연하게 만들어 복잡하고 정교한 사고의 흐름을 따라가고 이해할 수 있는 힘을 키워준다. 사고를 유연하게 훈련한 사람이 많아질수록 인류의 지성은 더욱 강력해질 것이다. 마지막으로 형태그리기는 진정한 의미에서 아이의 전인적 발달을 돕는다. 학년별로 제시한 연령에 적합한 형태들은 아이들이 건강하게 성장하도록 안내할 것이다. 본문에는 형태들을 이런 관점에 적합한 순서에 따라 수록했다.

이 책의 목표는 교사들이 형태그리기 수업을 깊이 이해하여 수업을 왜 하는지, 이를 통해 아이들을 어디로 이끌고자 하는지를 통찰하는데 도움을 주는 것이다.

---

01 『교육예술 2: 발도르프 교육 방법론적 고찰』 밝은누리, 2016

교사는 전체적인 맥락에서 형태그리기 수업의 의미뿐만 아니라, 수업에 소개하기 전에 각각의 형태들이 아이들에게 어떤 효과와 영향을 미치는지를 경험으로 알고 있어야 한다. 이런 인식은 교사 자신이 형태에 대한 내적인 감각, 선의 흐름의 특성에 대한 감각을 발달시켰을 때만 가질 수 있다. 선의 굴곡 속에는 의지의 힘이 들어있다. 굴곡이 클수록 의지의 힘도 그만큼 커진다. 따라서 형태에 대한 느낌을 발달시키면 의지의 힘도 함께 성장한다. 이런 감각을 키우기 위해서는 손으로 형태를 느껴야한다. 다시 말해 손으로 볼 수 있어야 한다. 움직임의 느낌을 말로 표현할 수 있어야 한다. 그리고 하나의 형태가 내면으로 완전히 들어올 때까지 철저히 연습해야 한다. 사실 종이 위에 남은 그림은 움직임의 흔적, 움직임의 과정이 만든 메아리에 불과하다. 보통은 형태그리기를 할 때 '일정 수준의 완벽한' 그림을 그리려고 애를 쓰지만, 그보다 훨씬 중요한 것은 바로 과정 그 자체다. 움직임의 과정을 철저히, 제대로 작업한다면 결과 역시 좋을 것이다.

따라서 정말 중요한 것은 움직임이다. 최종 결과물도 물론 중요하다. 잊지 말아야 할 것은 선 자체가 중심이라는 점이다. 형태가 나비 같은 어떤 물체와 비슷해 보이더라도, 선은 결코 외부 세계에 대한 표상이 아니다. 교사는 움직임의 특성이 아이들의 영혼에 닿도록 형태의 움직임을 이야기에 담아 들려줄 수도 있다.(본문에 몇 가지 사례를 실었다)

아이들이 완성한 형태의 안쪽이나 둘레에 작은 꽃, 사람 얼굴, 크리스마스트리를 그리는 것을 허락해서는 안 된다. 그림의 중심이 선에서 벗어나기 때문이다. 선과 선의 움직임만큼 중요한 것이 바로 형태를 이루는 선들 사이의 공간이다. 그 빈 공간을 형태와 관련 없는 요소들로 채워 넣어서는 안 된다. 정말 중요한 것은 아이가 느낌의 영역에서 형태와 관계를 맺는 것이다. 색깔은 적절하게 사용한다면 아이의 미적 감각을 발달시키는데 도움을 줄 수 있다. 형태와 조화를 이루며 잘 어울리는 색으로, 어디까지나 형태 자체의 아름다움과 움직임을 부각시킬 목적으로 사용해야 한다.

형태에 대한 감각, 선의 굴곡에 대한 감각을 키우려한다면 선의 굵기에 대한 감각도 소홀히 해서는 안 된다. 이는 특히 4학년 매듭 형태를 그릴 때 중요한 지점이다.

선이 어디서 가늘어지고, 어디서 어떻게 굵어지는지, 여기서는 뾰족해지고, 저기서는 부드러워지는지에 따라 형태 전체의 특성이 달라진다. 선을 정성껏 그리다보면 굵은지 가는지에 절로 신경을 쓰게 되고, 이를 통해 형태와 자신을 느낌으로 연결하게 된다.

동료 교사들에게 당부하고 싶은 말이 있다. 부디 이 책을 발도르프학교 형태그리기 수업의 전부라고 여기지 않길 바란다. 어떤 교조적인 원칙도 주장할 의도가 없으며, 본질적으로 무한한 창조성을 지닌 형태그리기라는 과목을 가르치는 방법은 무수히 많다. 더 깊은 통찰과 영감을 만날 수 있기를 기대하며 책 말미에 참고 도서 목록을 수록했다. 이 책을 출발점 또는 안내서로 삼아 자신만의 방법을 찾고, 형태그리기가 아이들과 교사 모두에게 살아있는 의미가 되기를 바란다.

1학년

루돌프 슈타이너가 1919년 교사 세미나에서 제안한 바에 따라 수업을 한다면, 1학년 첫 수업을 직선과 곡선으로 시작하게 된다. 생후 일 년 동안 아이는 직립 능력을 획득하고 첫돌 무렵이면 걷기를 시작한다. 똑바로 서 있을 때 아이는 이미 자신의 신체로 곧은 선을 그리고 있다. 이제 1학년이 된 아이는 신체 밖에 곧은 선을 그리고 그 선을 바라볼 수 있는 힘이 생겼다. 이 과제를 제대로 수행하기 위해서는 먼저 신체에 대한 균형감과, 자신의 신체를 지각하는 힘을 발달시켰어야 한다. 다른 말로 하자면 균형감각과 고유운동감각의 협조 능력을 발달시켰어야 하는데, 이는 무의식 상태인 의지의 힘 속에서 활동하는 인간 자아가 이루어내는 엄청난 과업이다. 즉, 직선(곧은 선)은 인간 자아와 관계된 형태다.

곡선은 직선보다 부드러우며 상대적으로 주변 환경과의 관련성이 높다. 주위를 둘러볼 때 우리의 시선은 곡선을 그린다. 즉, 곡선을 통해 내부에 있는 것과 외부에 있는 것이 구별된다. 또한 곡선은 큰 전체에 속한 한 부분이라는 느낌을 준다.

오이리트미에서[02]는 '사고thinking'라는 영혼 활동에서 직선을, '의지willing'라는 영혼 활동에서 곡선을 이끌어낸다. 형태그리기에서도 직선 그리기는 사고의 발달과, 곡선 그리기는 의지의 발달과 더 밀접하게 연결된다. 인간이 지닌 양극성이 직선과 곡선이라는 두 종류의 선에 담겨있다. 1학년 첫 수업부터 아이들에게 이 두 흐름을 분리해서, 한꺼번에 두 선으로 소개한다

---

02 Eurythmie_'아름다운 동작', '아름다운 리듬'을 뜻하는 그리스 어.
   루돌프 슈타이너(1816~1925)가 창안하고 1912년에 선보인 것으로, 언어와 음악을 움직임으로 시각화한 동작 예술

1학년 첫 수업 "선생님이 하는 것을 잘 보세요." 이렇게 말한 뒤, 칠판에 아주 천천히, 아주 정성껏, 최대한 느리게 세로로 직선을 그린다. 너무 짧지 않게, 위에서 아래 방향으로 그린다.(그림 1a) 아이들은 교사의 행위에 존재 전체를 집중해서 참여한다. 학교의 의미에 대해 미리 듣고 온 터라 교사가 지금 하는 행동이 앞으로 만나게 될 수많은 중요한 가르침 중 첫 번째 것임을 직감한다. 선을 완성한 뒤 아이들을 향해 돌아서면서 말한다. "자, 이제 앉은 자세에서 손을 올려 눈앞에 이걸 그려보세요!" 아이들이 각자의 방식으로 다양한 모양의 수직선을 천천히 그리도록 안내한다. 자리에서 일어나서 자신의 신체가 곧은 선을 만들고 있음을 관찰하고 느끼는 시간도 가질 수 있다. 손가락으로, 코로, 턱으로, 눈으로 아주 천천히 허공에 선을 그려 볼 수도 있다. 교실 바닥에 발로 그려 볼 수도 있고, 발끝에 다른 발 발꿈치를 붙여 직선으로 걸어볼 수도 있다.

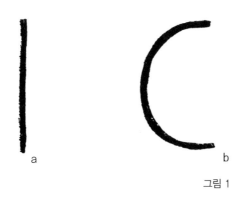

그림 1

여기서 가장 중요한 점은 실제로 종이에 선을 그리기 전에 여러 가지 방법으로 연습하고, 곧은 선의 특질을 내면에서 느끼는 것이다. 온몸으로 직선의 특질을 경험하는 시간을 충분히 가진 다음 칠판에 분필로 그려 보고 (교사가 처음 시범을 보일 때 아이들 눈높이를 고려하여 칠판 아래쪽에 그려야 한다. 아이들은 교사보다 낮은 곳에 그리고 싶어 하지 않기 때문이다! 아니면 의자 위에 서서 그리게 해도 된다) 자기 자리로 돌아가 종이 위에 맨손으로도 연습한다. 여기까지 진행되면 "다시 한 번 선생님이 무엇을 하는지 잘 보세요." 하면서 이번에는 곡선을 그린다.(그림 1b) "아까처럼 손을 들어 선생님이 그린 그림을 따라서 눈앞에 그려보세요." 앞서와 마찬가지로 온갖 다양한 방법으로 곡선의 특질을 내면에서 충분히 느끼고 난 다음에 "이것은 곧은 선(직선)이라 부르고, 저것은 굽은 선(곡선)이라 부릅니다."라고 선의 이름을 알려 준다.(교사가 선에 이름을 붙여 주어야 한다는 점이 중요하다. 교사가 이름을 붙이면 권위는 교사에게 있다. 아이들이 붙이게 되면 권위가 아이들에게 간다. 이를 통해 아이들에게 권위에 대해 올바른 느낌을 키워줄 수 있다) 그런 다음 질문한다. "굽은 선은 어떤 느낌이 드나요? 곧은 선을 그릴 때와 느낌이 다른가요?" 질문에 대답하고 토론하는 과정에서 아이들 내면에 형태에 대한 느낌이 자라기 시작한다. 마침내 도화지를 나누어주고 지금까지 연습한 선을 그리게 한다. 지금까지 충분히 연습했다면 '어느 정도 완성도 있는 그림'을 그릴 수 있을 것이며, 슈타이너는 제대로 된 그림을 그리는 것이 바람직하다고 했다. 종이 위에 그린 그림은 흔적에 불과하다. 그것은 움직임의 과정이 외부로 구현된 것에 지나지 않는다. 무엇보다 중요한 것은 과정 그 자체다. 그 안에 변형의 힘이 들어있기 때문이다.

두 번째 수업 다음 날 교사는 다시 한 번 직선과 곡선을 그린다. 아이들을 지목하며 "이것은 무엇이지요?"라고 묻는다. 질문 받은 아이는 "곧은 선이에요!"라고 대답할 것이다. 곡선을 가리키며 다른 아이에게 "그럼 이것은 무엇이지요?"라고 물으면, 그 아이는 "굽은 선이요!"라고 대답할 것이다.(절대로 "우리가 어제 수업에서 뭘 했죠?"라고 물어봐서는 안 된다. 그러면 아이들은 '우리가 어제 뭘 했는지 선생님께서 알고 있어야지!'라고 생각하게 되고, 교사의 권위가 허물어지기 시작한다) 직선과 곡선에 관해서 짧게 이야기 나누고 반복해서 연습한 다음, 각자의 형태그리기 공책에 두 선을 그린다.

이번에는 왼쪽에서 오른쪽으로 천천히 수평선(그림 2)을 그린 다음 "이것은 누워있는 직선이에요." 이어서 "이 선은 어떤 느낌인가요? 전에 그렸던 곧

그림 2

은 선과는 어떻게 다르죠?"라고 묻는다. "이 선을 몸으로 표현한다면 어떻게 할 수 있을까요?"라는 질문으로 아이들에게 이 선이 쉬고 있다는 느낌을 전달해줄 수도 있다. 이제 여기에 '누운 선'이라는 이름을 붙여준다. 아이들에게 상이 생겼다. '수평선'이라는 단어는 아이들에게 너무 추상적이다. 어제 수업처럼 누운 선에 대해 충분히 연습한 다음 공책에 그린다.

세 번째 날 계속해서 직선 연습이다. 수직선(곧은 선)과 수평선(누운 선)이 결합한 형태를 연습한다.(그림 3) 그림 3a는 땅 위에 사람이 서 있는 형상이라고 이야기할 수 있다. 그림 3b는 사람이 똑바로 서서 세상을 품에 안으려고 양팔을 옆으로 벌린 형태, 그림 3c는 땅과 하늘 사이에 사람이 서 있는 형태라고 설명할 수 있다.

그림 3a

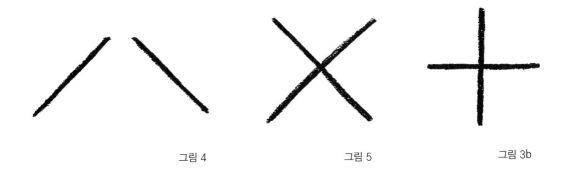

그림 4   그림 5   그림 3b

다음 연습은 기울어진 선 혹은 기대고 있는 선이다.(그림 4) 이 선의 특성에 대해 아이들과 이야기를 나눈다.(이 선은 '피곤'한가 봐요?) 이런 과정을 통해 아이들은 내면에 형태에 대한 느낌이 자라고 형태와 방향의 상관관계를 이해하게 된다. 기울어진 두 선을 성 안드레아 십자가 모양으로 겹쳐볼 수도 있다.(그림 5) 교사 자신이 이 형태의 특질에 대한 감각을 키우고 싶다면 어른을 위한 오이리트미 명상 중 하나를 해보는 것도 좋다. '중력은 아래쪽으로 잡아당깁니다.' 이 문장과 함께 다리를 벌리면서 파란색을 떠올린다. 그런 다음 '빛은 위를 향해 흘러나갑니다.'라는 문장과 함께 두 팔을 위로 벌려 뻗으며 노란

그림 3c

색을 떠올린다. 마지막으로 '그 중간에 내가 있습니다.'라고 생각한다. 이 형태 속에는 우리가 지상 세계와 연결된 동시에 정신세계에서 오는 힘에 열려 있다는 느낌이 들어있고, 이를 통해 우리는 내적 균형감각을 느낄 수 있다.(물론 아이들에게 이런 이야기를 하지는 않는다)

성 안드레아 십자가의 특질과 달리 그림 3b 십자가에서 느낄 수 있는 균형은 자유(자아를 의미하는 수직선)와 사랑(주변을 의미하는 수평선) 사이의 균형이다.

직선 연습이 끝나면 곡선 연습을 시작한다. 첫 번째 형태는 원이다.(그림 6) 아이들에게 원 그리기는 쉬운 작업이 아니므로 교사는 종이에 그리기 전에 아이들이 충분히 연습할 수 있도록 신경 써야 한다. 원을 그릴 때 절대로 연필을 떼서는 안 된다고 단언하는 것은 아니지만, 될 수 있는 한 한 번에 이어서 그리는 것이 좋다. 그런 다음 동일 간격으로 떨어진 동심원 연습으로 넘어간다. 제일 큰 원부터 작아지는 순서로, 즉, 바깥에서 안쪽으로 그린다.(그림 7a) 이 형태에는 아이가 자신의 육체 속으로 건강하게 육화할 수 있도록 도와주는 치유 효과가 있다.

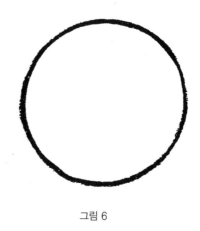

그림 6

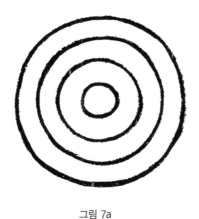

그림 7a

그림 7b

곡선의 다음 단계는 나선 형태다. 처음에는 아주 단순한 곡선으로 시작한다.(그림 8) 이 형태는 기질 교육에도 이용할 수 있다. 우울질이나 점액질 아이들에게는 먼저 그림 8a, 8b(밖에서 안으로 들어오는 형태)에서 시작해서 그림 8c와 8d(안에서 밖으로 나가는 형태)를 그리게 한다. 그런다음, 동일한 형태에 방향이라는 요소를 추가한 형태를 연습한다.(그림 9)

방향에 따라 색을 다르게 써도 좋다. 그림 9a를 연습할 때 다음과 같은 이야기를 들려줄 수 있다. "아주 작고 어린, 겁 많은 아이 하나가 천둥 번개를 보고 무서워 덜덜 떨었어요. 집안으로 뛰어 들어간 아이는 곧장 침대 밑으로 숨어 들어갔지요. 여기가 가장 안전한 장소라고 생각했던 거예요.(나선의 끝에 이른다) 한참 숨어있다 보니 배가 고팠어요. 아직도 천둥 번개가 치는지 귀를 기울여 보았지만 아무 소리도 들리지 않았어요. 그래서 아이는(반대 방향으로 나선을 그리기 시작한다) 엄마를 찾으러 침대 밑에서 살금살금 기어 나왔어요."

a

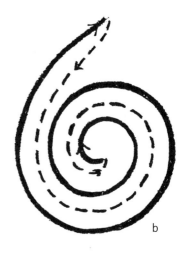

b

그림 9

그림 8

그림 10

아르키메데스 나선(그림 10)이나 베르누이 나선과 비슷한 형태(그림 11)는 둘 다 그려보는 것이 좋다. 등거리 선으로 이루어진 그림 10의 나선은 덧셈의 성격을 띤다. 그림 11의 나선은 '로그 나선'이라고도 부른다. 바깥쪽으로 갈수록 선 사이 간격이 기하학적으로 커지는 이 형태는 곱셈의 성격을 띤다. 이제 아이들은 선 사이 간격의 중요성에도 주의를 기울이게 된다.

'우정의 나선'이란 이름을 붙일 수도 있는 그림 12에는 특별한 성질이 있다. 이 형태에서 아이들은 주기와 받기, 나와 다른 사람 사이의 균형에 대한 느낌을 받는다. 아이들에게 두 손이 가운데서 만나도록 각자의 두 팔을 구부려 이 형태를 직접 경험해보게 한다.

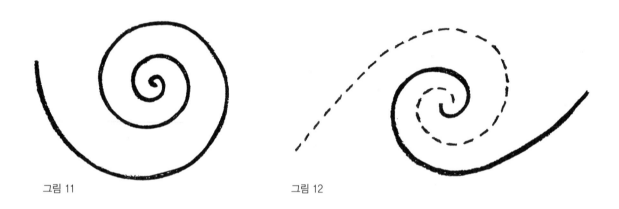

그림 11   그림 12

이제 중간에 방향이 바뀌는 형태의 곡선이 처음으로 등장한다. 그림 13처럼 선의 흐름에는 세 가지 유형이 있다. 그림 13a는 변곡점 Z에서 선의 기울기가 바뀌지만 진행 방향은 같다. 그림 13b는 뾰족한 점 Z′에서 곡선의 기울기는 달라지지 않지만 선의 진행 방향이 바뀐다. 그림 13c는 부리 모양의 점 Z″에서 곡선의 기울기와 선의 진행 방향이 모두 바뀐다. 이 세 가지 형태는 사실상 곡선의 알파벳에 해당한다. 다시 말해 곡선의 기본 변화 요소가 모두 들어 있다. 교사는 수업에 어떤 형태를 도입할 때 그 속에 변화 요소가 얼마나 들어 있는지 인식하고 있어야 한다. 그러면 예를 들어 일곱 개의 변화 요소가 있는 형태는 1학년 아이들에게 너무 과하다는 것을 알 수 있다.

그림 13a의 형태를 연습할 때 이런 이야기를 들려줄 수 있다. "한 아이가

산책하려고 집을 나섰어요.(X 점에서) 아이는 한참을 걸어갔어요. 자 이제 돌
아갈 때가 된 것 같죠? 하지만 (Z 점에서) 아이는 그러고 싶지 않았어요. 그래
서 이웃집으로 갔답니다.(Y 점에서 끝난다)" 이 주제를 충분히 연습한 다음 그
림 13a와 14a 사이에 몇 가지 형태를 더 만들어 그려보게 한다.

그림 13b

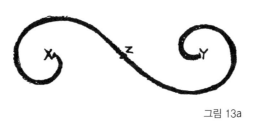

그림 13a

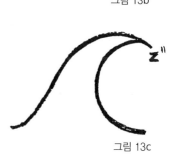

그림 13c

곡선과 변곡점의 다음 단계로 무한대 형태(그림 14)를 연습한다.

그림 14a

그림 14b   그림 14c   그림 14d   그림 14e

그림 15처럼 정교한 직선 형태를 몇 개 더 그려볼 수도 있다. 이쯤에서 아이들에게 곡선을 직선으로 바꾸면 형태가 어떻게 달라질지 생각해보라는 과제를 준다.(그림 16)

그림 15a

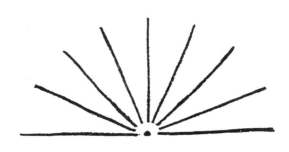

그림 15d

그림 15b

그림 15c

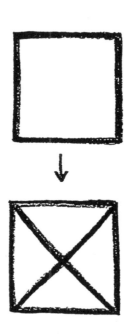

그림 15e

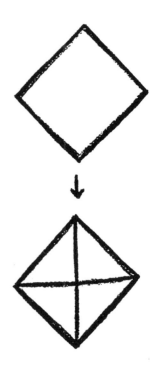

그림 15f

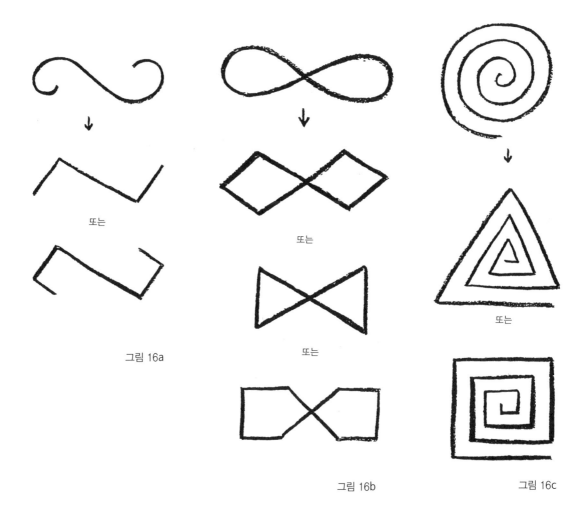

또는

그림 16a

또는

그림 16b

또는

그림 16c

그림 16d

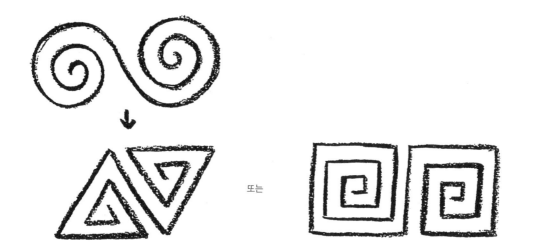

또는

다음 단계로 한 가지 특성만 있는 단순한 닫힌 형태를 연습한다.(그림17) 이 책의 '형태와 기질'에 소개한 몇 가지 닫힌 형태들은 형태그리기 교과에 직접 속한 것은 아니지만 자주 연습하는 것이 좋다.

단순한 닫힌 형태 연습을 마치면 변형 과정을 보여 주는 연속 형태 연습을 시작한다. 바닥에 밧줄을 놓고 형태 변형 과정을 아이들과 직접 만들어 볼 수도 있다. 니더호이저Niederhauser와 프로리히Frohlich가 쓴 『발도르프학교의 형태그리기 수업』03에서 발췌한 그림 18은 색을 이용해서(또는 빗금 처리로) 안이 어떻게 밖이 되는지(반대 과정도 마찬가지)를 보여준다. 의지 활동은 형태 자체가 아니라 하나의 형태가 다른 모양으로 변형되는 과정에서 드러난다. 따라서 아이들에게 한 형태와 다른 형태 사이에 어떤 일이 일어났는지, 그림 18a에 어떤 힘을 가해서(위에서 눌러서) 그림 18b가 나오게 되었는지 생각해보게 하는 것이 좋다.

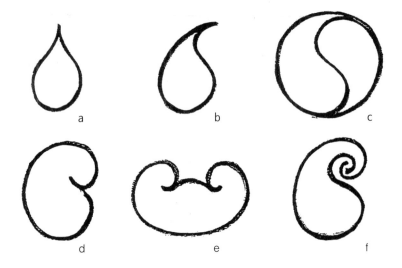

그림 17

---

03 푸른씨앗, 2015

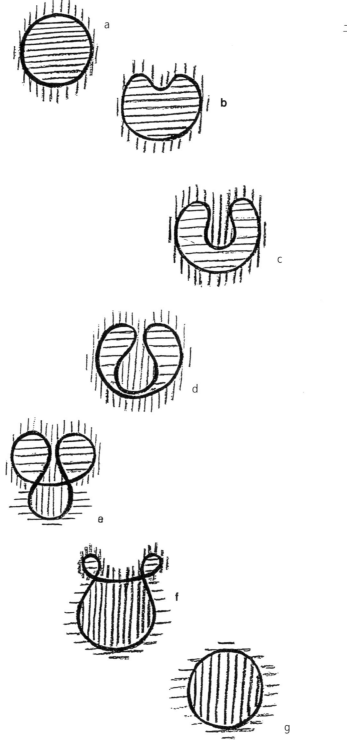

d
c
b
a

e

f

g

h

그림 19

단순한 닫힌 형태와 변형 연습을 마쳤으면 연속선 연습을 시작한다. 그림 19(쿠츨리Kutzli 곡선[04])는 하나의 형태에서 다른 형태로 발전해가는 연속선이다. 선 a는 바람이 잔잔한 날의 호수 표면이다. 부드러운 산들바람이 불면서 호수는 선 b가 된다. 산들바람이 거세지면 물결은 선 c처럼 커진다. 그러다 폭풍우가 휘몰아치는 지경이 되면(선 d) 수영은 포기하는 게 낫다.(이런 이야기는 선 움직임에 대한 상을 갖도록 도와주며, 그로 인해 형태에 집중하게 하는 역할을 한다) 물결 형태를 한 단계 더 발전시켜 선 e처럼 분리된 연속선을 만들 수도 있다. 그런 다음 다시 곡선을 직선으로 변화시키는 연습으로 돌아온다.(그림 19f, g, h)

그림 20에 연속선 몇 가지를 추가로 소개했다. 서로 균형을 잘 이룬다면 두 연속선을 합쳐 하나로 만들 수도 있다.(그림 21) 원래 형태를 볼 수 있도록 색을 다르게 사용하라. 그림 20의 a, b, c는 치유 목적으로도 이용할 수 있다. 꿈꾸는 성향의 점액질 아이는 a, b, c 순서대로 그림을 그리게 한다. 지적으로 깨어있는 아이에게는 반대로, 즉, c, b, a의 순서로 그리게 한다. 물론 그림 20에 소개한 형태를 전부 다 수업할 필요는 없다.

04 『포르멘: 자아를 찾아가는 선그림 12단계』(열린교육,2004)에 수록된 곡선 형태

a

b

c

d

e

f

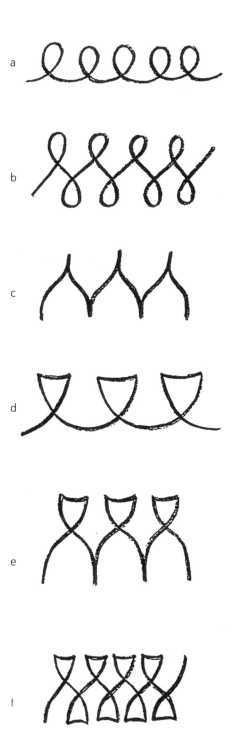

g

h

i

j

k

l

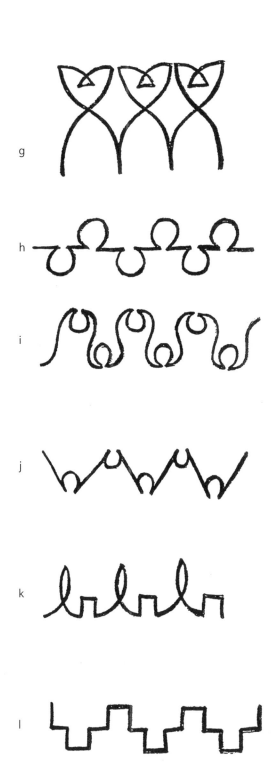

그림 20

23

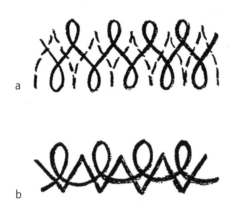

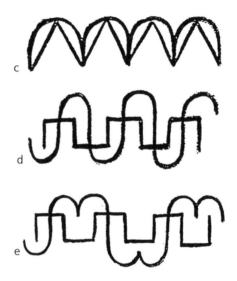

그림 21

2학년

수직축을 이용하는 거울상(대칭) 형태는 1학년 말이나 2
학년 초에 도입한다. 1학년 때 배운 수직선에서 시작해 그
양쪽에 공간을 추가하여 균형의 차원을 한층 복잡하게 만
든다. 공간 속에 조화로운 균형을 이루는 것이 목표인 이
수업은 자아의 높은 측면과 낮은 측면 사이에서 이중성을
경험하는 2학년 아이들에게 적합하다. 이 시기에 성인 이
야기와 동물우화를 들려주는 것은 아이들의 이런 과제를
돕기 위해서이며, 거울상 형태그리기 역시 같은 방향의 도
움을 준다.

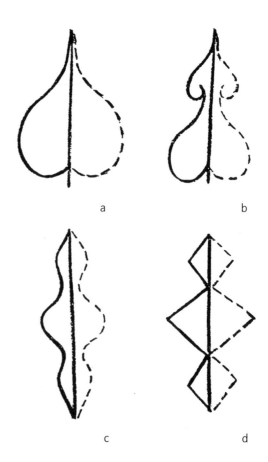

그림 22-1

a

b

c

d

 교사는 수직선 왼쪽에만 형태를 그리고 아이들에게 "이
그림은 아직 완성된 상태가 아니에요. 누가 여기에 부족한
부분을 채워 볼까요?"라고 묻는다.(그림 22) 아이들은 교사
의 그림에 상응하는 형태를 찾아 수직선 오른쪽에 그린다.
아이가 왼손잡이라면 교사는 오른쪽에 형태를 그려야 한
다. 반쪽 형태를 찾는 과제를 큰 어려움 없이 해낸다면 수
직선부터 전체 형태를 아이 스스로 그리게 한다. 그 다음에
는 수직축을 가로지르는 형태를 연습한다. 그림 23에 속한
형태 연습을 어느 정도 하고나면 이제 수평축(1학년 때 배
운 누운 선)을 이용한 대칭 형태를 소개한다. 교사가 먼저
축 위에 형태를 그리면 아이들이 축 아래에 대응하는 형태
를 그린다.(그림 24) 니더호이저와 프로리히가 쓴 『발도르프

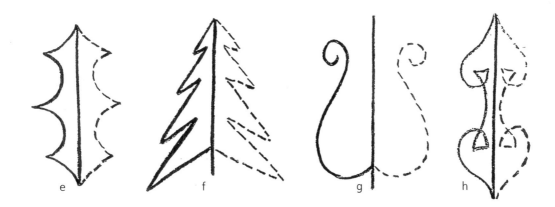

그림 22-2

학교의 형태그리기 수업』을 참고하면 수평축을 이용한 다양한 사례를 찾
을 수 있다. 2학년 2학기 후반이면 대칭축을 2개 사용하는 형태를 소개
할 수 있다.(그림 25)

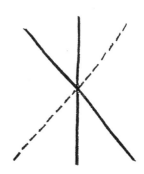

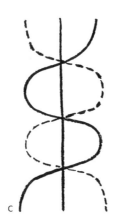

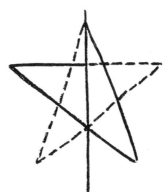

그림 23

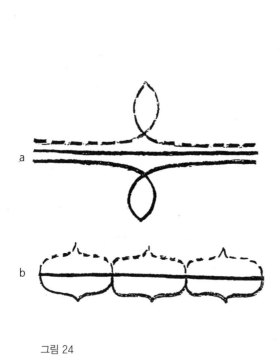

그림 24

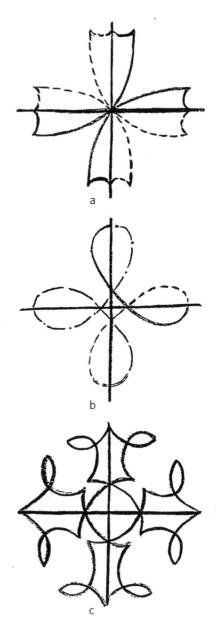

그림 25

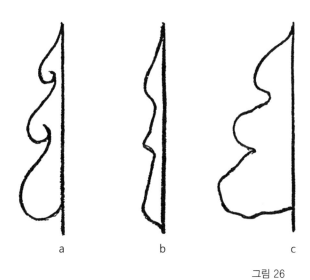

a   b   c

그림 26

거울상 형태 연습을 하다 보면 아이가 어느 지점에서 특별한 도움이 필요한지를 알아차릴 수 있다.(그림 26) 교사가 그린 그림 26a를 보고 아이가 그림 26b처럼 그렸다면, 아이의 생명감각이 허약하다는 의미일 수 있다. 생명감각은 선과 선 사이 공간과 깊은 관련이 있기 때문이다. 아이가 그림 26c처럼 그렸다면, 이는 형성력의 영향을 충분히 받지 못해 형태를 만드는 힘, 조형력이 부족하다는 의미일 수 있다. 두 경우 모두 아이가 형태의 법칙성, 즉, 선과 공간 사이 균형을 충분히 느끼지 못하고 있음을 보여준다. 공간은 에테르의 힘과, 선과 그 법칙성은 아스트랄의 힘과 밀접하게 연결되어 있다. 따라서 형태를 이런 식으로 그린다는 것은 아이의 에테르체와 아스트랄체가 적절한 관계를 갖지 못했다는 반증일 수 있다. 하지만 이는 어디까지나 가능성일 뿐, 이 짧은 몇 문장을 학습에 어려움을 보이는 아이들을 판단하고 진단할 근거로 삼아서는 안 된다. 더 깊이 알고 싶은 사람은 어드리 맥알렌의 『발도르프 도움 수업Extra Lesson』[05]을 참고하기 바란다.

---

05 슈타이너 교육예술연구소, 2009

3학년

아이들은 9세 무렵 발달상에 큰 변화를 겪는다. 처음으로 자신의 내면과 외부 세계의 차이를 자각하기 시작한다. 대칭축을 이용한 형태를 계속 연습하지만, 대칭축으로 곡선을 사용하기 때문에 전과 달리 축 양쪽의 모양이 달라진다. 곡선 축을 사이에 두고 형태의 한쪽은 세상을 향해 좀 더 열려 있고 다른 쪽은 상대적으로 닫혀 있다.

이런 형태는 3학년 아이들의 영혼에서 벌어지는 일을 반영한다. '9세의 변화기'를 거치는 동안 어른들이 아이들을 대하는 태도는 아이들의 건강한 성장 발달에 결정적인 영향을 미친다. 이 무렵 아이들은 마음 한 구석에서 강한 상실감과 슬픔을 느낀다. 그래서 3학년 수업에서는 『구약성서』의 실낙원 이야기를 들려준다. 아이들이 내면에서 겪는 일을 그대로 담고 있기 때문이다. 아이들은 유아기 때 자유롭게 드나들던 정신세계와의 통로가 사라졌다고 느낀다. 이런 상실감이나 슬픔을 직접 드러내는 경우는 별로 없다. 이제 내면에서 느끼는 바와 겉으로 드러난 말이나 행동에 거리가 생기기 시작한다. 아이들의 영혼생활이 둘로 쪼개지는 것을 방지하려면 내면과 외면이 균형을 이루도록 잡아주는 도움의 손길이 반드시 필요하다. 예를 들어 어떤 아이가 가게 물건이나 다른 아이의 소지품을 훔쳤고 교사가 그 사실을 알고 있음을 훔친 아이가 알고 있다면, 교사는 그 아이가 균형을 회복하도록 도와주어야 한다. 즉, 함께 가게로 가 훔친 물건을 돌려주는 것이다. 훔친 물건이 사탕이고 이미 먹어버렸다면 균형을 되찾을 다른 방법을 찾아야 한다. 3학년 형태그리기 수업의 중심과제는 아이들이 내면과 외면의 조화로운 균형을 찾도록 돕는 것임을 언제나 기억해야 한다.

이를 위해 교사는 1학년 때 배운 곡선을 중심축으로 삼아 한쪽에 형태를 그린 다음 반대쪽에서 균형을 잡아줄 형태가 교사의 그림과 달라져야함을 설명한다.(그림 27) 이는 수학자들이 반전inversion이라 부르는 것과 상관있다. 자세한 설명은 『형태그리기: 교육에서 형태감각의 발달Formenzeichnen: Die Entwicklung des Formensinns in der Erziehung』[06]을 참고하기 바란다.

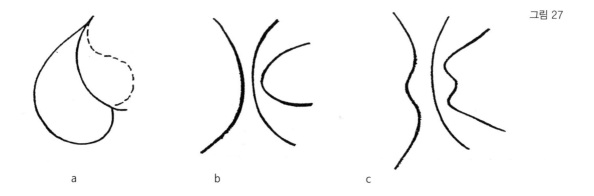

그림 27

a   b   c

---

06 Freies Geistesleben, 1992, 에른스트 슈베르트, 크라니히, 유네만 공저

슈타이너가 일클리Ilkley 강연[07]에서 소개한 형태 변형들을 보면 바깥 선의 변화에 따라 안쪽 선이 어떻게 바뀌어야 하는지를 알 수 있다. 먼저 아이들에게 한 형태를 소개하고 그것을 연습하게 한다. 그런 다음 바깥쪽 형태를 바꾸고 그에 따라 내부 형태가 어떻게 바뀌어야할지 생각해보라고 한다. (그림 28, 29)

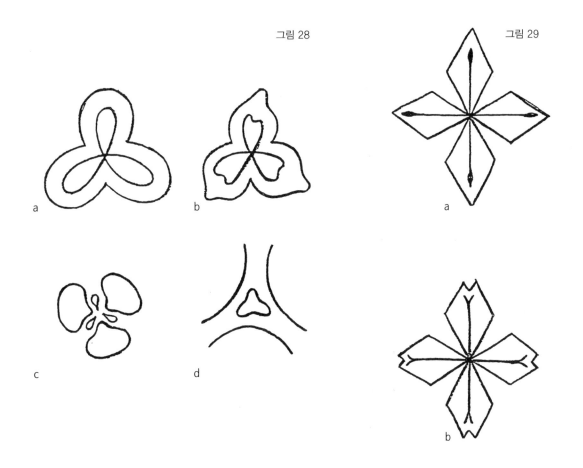

그림 28

그림 29

a

b

c

d

a

b

07 『오늘날의 정신생활과 교육Gegenwärtiges Geistesleben und Erziehung』 (GA 307)

다음은 내부와 외부의 균형이라는 3학년 주제를 발전시킨 연속 형태다. 몇 개의 점을 주면 학급 전체가 의견을 모아 그 주위를 감싸면서 균형 잡힌 전체를 이루는 형태를 찾는다.(그림 30) 그림 30a는 점 2개, 그림 30b는 점 3개에서 발전한 형태이며, 나머지도 같은 맥락이다. 이 연습은 1학년 수와 셈 시간에 배운 숫자의 특성을 새로이 바라보게 해준다.

그림 30의 형태에는 이미 내부, 중간, 외부 영역이 있는 인장 seal의 특성이 들어있다. 아이들의 과제는 이 세 영역이 조화롭게 균형을 이루는 형태를 찾는 것이다. 이 책의 마지막 장 '교사를 위한 형태그리기'에 슈타이너가 명상을 위해 제안한 인장 중 몇 개를 수록했다.

그림 30

곡선 대칭축으로 형태의 균형을 잡는 연습을 어느 정도 하고 나면 슈타이너가 그렸던 형태(그림 31)를 이용해서 '자유 대칭'이란 개념을 소개할 수도 있다.

이런 역동적인 대칭 형태에서는 왼쪽과 오른쪽의 관계성이 두드러진다. 기하 법칙에 충실한 대칭은 아니지만, 형태 자체에는 균형 잡힌 전체성이 있다.

그림 31

4학년

4학년 수업에서는 북유럽 신화를 들려준다. 『구약성서』의 야훼는 절대적인 권위를 갖고 있으며 다른 신들이 감히 힘겨루기를 하거나 대적할 수 없는 막강한 존재이다. 반면 북유럽 신화에 나오는 신들은 엄청난 힘을 가지고는 있지만, 야훼처럼 전지전능하지 않은, 나름대로 고군분투하며 살아가는 존재들이다.

로키(불의 신, 파괴와 재난의 신)는 처음에는 우스꽝스럽고 장난을 좋아하는 신으로 등장하지만 마지막에는 완전한 악의 화신으로 변모한다. 로키는 신들이 맞서 싸워야 하는 악의 영역 전체를 상징한다. 결국 신들은 싸움에서 패배하고, 발두르(광명의 신)의 죽음과 함께 라그나로크(신들의 황혼) 시대가 시작된다. 신들은 먼 미래에 부활할 수도 있다는 실낱같은 희망만 남긴 채 떠나가고, 신들의 부활은 인간이 애써서 성취해내야 할 몫으로 남는다.

현대 인류의 의식이 자라기 위해서는 옛 사람들의 정신세계를 지각하는 힘과 신과의 관계가 소멸해야만 했다. 북유럽 신화는 4학년 아이들의 의식 상태와 완벽하게 부합한다. 이 무렵부터 아이들은 지적으로 새롭게 깨어나기 시작한다. 삶이 고난과 투쟁이라고 느끼기 때문에 신들의 투쟁 이야기를 자신의 이야기처럼 공감한다. 투쟁과 싸움을 거치며 의식이 깨어난다. 진정한 친구와는 싸울 수도 있고 항상 예의를 갖출 필요도 없다. 마찬가지로 진정한 논쟁도 우리가 스스로 사고를 형성하고 그것을 바라볼 수 있는 여지를 허락한다. 진리를 발견하기 위해서는 쭈뼛거리지 않고 담대하게 자신의 길을 가면서 필요하다고 여길 때는 수정하고 교정할 수 있어야 한다. 북유럽 신화에서는 전사가 두려움 없이 용맹하게 싸우다 죽으면 자신의 고차 자아인 발키리, 즉 자신의 '진리'를 만난다.

4학년들은 이처럼 진리를 새로운 눈으로 바라보고 자각하기 시작하며, 다른 사고와 위아래 앞뒤로 복잡하게 엮이는 사고의 흐름을 따라갈 힘이 생긴다. 이때 가장 적합한 것이 매듭과 꼬임 형태다. 이런 형태 연습은 이제 막 싹트기 시작하는 사고의 힘을 강화하는 효과가 있다. 매듭 문화는 일본, 중동, 아일랜드, 영국, 이탈리아, 노르웨이 등 전 세계 곳곳에 존재한다. 그 중에서 북유럽의 매듭(꼬임)은 상당히 자유분방하기 때문에 이를 수업의 주재료로 사용한다.

노르웨이의 통널 교회[08]에 가면 아름다운 북유럽 꼬임 문양을 볼 수 있다. 이 문화권 사람들은 자신들의 신처럼 거친 전사였다. 그들은 교회 문 주변에 용 모양의 정교한 꼬임 장식을 새겨놓아 사람들이 일요일 아침마다 교회로 들어가면서 스스로의 거친 성정(지난 밤 주먹다짐에서도 유감없이 발휘했을지 모를)을 대면하게 했다. 이런 장식은 자신의 아스트랄성을 자각하게 하는 역할을 하는 동시에 자아의 힘으로 아스트랄성을 통제하는 법을 배워야겠다는 소망을 품게 했다.

이 시기 아이들에게 주어야 하는 것은 내면에서 벌어지는 악과의 싸움, 그리고 아스트랄성을 다스리기 위해 불러내야 하는 내적 자아의 힘에 대한 상이다. 매듭 형태는 3차원의 특성을 가지고 있다. 이는 아이들에게 이전과는 다른 방식, 즉 사고의 힘을 가지고(하지만 지적인 형태의 사고가 아닌) 물질세계에 들어감을 의미한다. 3학년 때 아이들은 집짓기나 요리 등을 통해 의지의 힘으로 물질세계에 들어갔다. 4학년에서는 물질세계 진입을 의식의 차원으로 이끌고 가야한다. 보다 본질적인 관점에서 말하자면 이 활동은 자아의 운반체인 혈액을 건강하게 한다.

교사가 칠판에 형태를 그리면 아이들은 손을 들어 허공에 그것을 따라 그린다. 눈과 손으로 움직임을 따라가면서 "뒤, 아래로, 앞, 위로" 소리 내어 말한다. 이런 활동을 통해 아이들은 형태의 삼차원성에 대한 느낌을 갖게 된다. 두꺼운 노끈을 이용해서 간단한 매듭을 직접 만들고 그것을 그림으로도 그려본다.

---

08 스타브키르케. 스칸디나비아에서 12~13세기에 목골판 벽으로 만든 그리스도교 성당

먼저 허공에 손을 올려 형태 연습을 한 뒤에 연필로 종이 위에 형태 전체의 윤곽을 잡는다. 필요한 부분에서는 지우개를 이용하여 교정한 다음, 크레용이나 색연필로 조심스럽게 형태를 따라 그린다. 명암을 살려 색을 칠하면 매듭 형태의 삼차원성이 강조되기 때문에 형태의 특성을 이해하는데 도움이 된다. 처음에는 이전 학년에서 그렸던 기하도형을 모티브로 삼는다. 삼각형 매듭 형태에서 시작해서 사각형, 오각형 등으로 넘어간다.(그림 32)

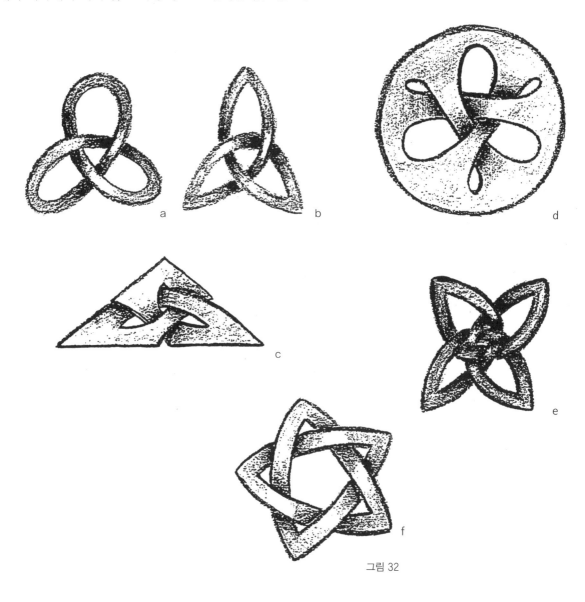

그림 32

또 다른 간단한 매듭 형태로 옭매듭과 고매듭[09]이 있다.(그림 33) 이런 매듭을 배울 때는 먼저 각자의 팔을 바이킹 배의 돛대라 상상하며 두꺼운 노끈으로 묶어가며 연습한다. 그런 다음 매듭을 풀고 기억을 더듬어 그 형태를 그린다. 다양한 시점에서 바라보는 그림이 가능하기 때문에 팔에 묶인 매듭을 여러 각도에서 관찰하도록 지도해야 한다.(그림 34)

a

b

그림 33

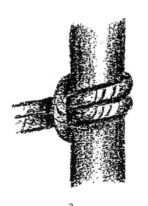

a   b

그림 34

---

09 각각 square knot(쉽게 풀리지 않는 매듭)와 slip knot(쉽게 풀리는 매듭)

4학년 형태그리기의 예 >>>

교사들이 각자에게 필요한 형태를
선택해서 수업을 구성할 수 있도록
여러 가지 사례를 수록했다. 마지
막에는 아이들이 자신만의 형태를
고안해서 그릴 수 있도록 지도해야
한다.

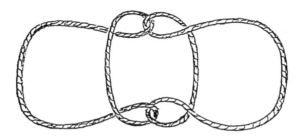

형태와 기질

기질별 형태 연습은 되도록 자주 하는 것이 좋다. 학년별 교과과정에 속한 형태가 아니므로 시기나 학년에 구애받지 않아도 된다. 기질 교육을 목적으로 하는 모든 활동이 그러하듯, 조화와 균형을 이루기 위해서는 아이들 개별의 타고난 기질을 거스르려하지 말고, 인정하고 존중해야 한다. 자세한 내용은 슈타이너의 『교육예술 3: 세미나 논의와 교과과정 강의Erziehungskunst. Seminarbesprechungen und Lehrplanvortraäge』[10]를 참고하라.

---

10 (GA 295), 밝은누리, 2011

점액질

　점액질 아이를 위한 형태는 아이가 외부 세상과 관계 맺도록 부드럽게 이끄는 역할을 해야 한다. 점액질 아이들은 천성적으로 스스로를 감싸려는 성향을 지닌다. 기질별 형태 연습의 목적은 언제나 기질의 편향된 성향을 조화롭게 만드는데 있다. 따라서 먼저 아이들에게 원을 그리라고 한 다음 내부에 형태를 그려 넣는 방식으로 진행한다.(그림 1a) 내부 형태가 완성되면 형태가 주변 공간과 연결될 수 있도록 바깥 원을 지우게 한다.(그림 1b)

그림 1a

그림 1b

담즙질

　담즙질 아이에게는 점액질의 천성에 해당하는 형태, 즉 내면 공간을 감싸는 형태를 준다. 담즙질 아이들은 점액질과 반대로 세상 속으로 뛰어들려는 경향을 지니기 때문이다. 사회적으로 적절하게 행동하는 감각을 키워주기 위해서 모서리를 부드럽게 만들어준다. 먼저 담즙질의 본성에 맞는 내부 형태를 그린 다음, 내부 형태와 균형을 이루는 원이나 다른 부드러운 형태의 '피부'로 주위를 감싸게 한다.

다혈질

다혈질 아이들은 주변으로 휩쓸려 나가기 쉽기 때문에 중심을 유지하고 되돌아오는 힘이 필요하다. 이 기질에 균형을 주기 위해서는 먼저 다혈질의 본성대로 형태가 조금씩 커지게 그리는 것으로 시작해서 다시 작아지는 것으로 마무리하게 한다.

우울질

우울질 아이에게는 생각할 거리를 주어야 한다. 다시 말해 '이것은 무엇을 의미할까? 선생님은 내가 무엇을 하길 원하시는 걸까?'라고 생각하면서 제시된 문제를 바라보게 해주어야 한다. 따라서 우울질의 깊은 내면세계를 존중하는, 그러면서도 그곳에 가벼움을 불어넣을 수 있는 형태를 준다. 우울질들은 강렬한 내면세계에 이끌려 어두운 심연으로 들어가려는 경향이 있다. 이들에게는 내면생활을 보호해줄 수 있는 안전한 공간이 필요하다. 따라서 먼저 어둠을 그리고 그 어둠을 통해 밝은 형태가 드러나게 하는 연습을 준다. 외부에서 내부를 향해 색을 칠해 들어가면서 내부 형태를 밝게 남기는 방식으로 점액질 아이들이 그렸던 형태를 음화로 그리게 한다. 이 형태는 다른 기질을 위한 연습보다 훨씬 많은 집중력을 요구하기 때문에 우울질 아이들에게 아주 적합하다.

교사를 위한 형태그리기

교사는 스스로 형태그리기와 관계를 만들고 자신의 것으로 체화하기 위해 노력하는 태도만이(삶의 다른 모든 측면과 마찬가지로) 가르치는 아이들의 성장 발달에 가장 효과적이며 큰 영향을 미칠 수 있다. 아래에 소개하는 루돌프 슈타이너의 행성 인장은 교사들이 자기 교육을 지속하는 수단 중 하나가 될 수 있다.

행성 인장에는 다양한 선의 특성과 선과 선 사이 공간, 변형, 내부와 외부의 관계 등 형태그리기의 모든 측면이 압축되어있다. 하지만 부분적인 요소보다 정말 중요한 것은 전체 형태다. 그것은 실제로 우리에게 말을 거는 신의 '말씀'이자 표현이다. 행성 인장을 연습하기 위해서는 단순한 지적 이해보다 훨씬 많은 것이 요구된다. 이것은 일종의 명상이자 내면 성찰에 속한다.

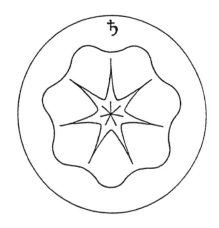

행성 인장 1

행성 인장 2

행성 인장 3

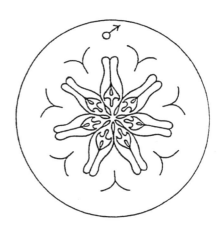

행성 인장 4

행성 인장 5

맺음말

형태그리기는 아이들의 성장 발달을 돕는 수단으로 첫째, 의미 있는 형태를 그리면서 아이들의 의지를 훈련하고, 그 의지는 사고로 발달한다. 아동기에 의지를 제대로 형성하지 못하거나 올바른 방향으로 이끌지 못하면 성인이 되었을 때 사고가 산만하고 난잡해지며, 창의력 있는 사고를 하지 못한다. 창의력을 구현할 수 있는 틀이 없기 때문이다. 둘째, 형태그리기에는 성장하는 인간의 기질을 강화하고 성장시키는 치유의 힘이 있다. 셋째, 형태그리기는 인간 내면에 형태와 비례에 대한 감각을 발달시키며, 이를 통해 우리 문화에 풍성한 아름다움을 불어넣을 수 있다. 1학년부터 4학년까지 의미 있는 형태를 그리는 형태그리기 수업은 인류에게 큰 의미가 있는 활동이다.

5학년에 접어들면 형태그리기 수업은 기하 수업으로 전환된다. 하지만 그 이후에도 역사나 다른 문화를 가르칠 때 그 문화 고유의 아름다운 문양을 연습해서 공책에 그려 넣는 등 형태그리기를 수업에 이용하는 교사들도 많다.

7학년이 되면 많은 아이가 불필요하거나 기상천외한 형태를 만들어 그리곤 한다. 교사들은 그 형태가 실제로 뭔가를 말하고 있는지 아니면 정신적으로 아무 내용이 없는지 구별할 수 있어야 한다. 형태그리기를 교과과정 전체에 통합시키고자 한다면 아이들이 예술적으로 풍성하며 비례가 잘 맞는 형태를 만들도록 계속 지도해야 한다. 이 같은 형태그리기 과정(수업)을 잘 수행했다면 아이들에게 형태의 법칙성에 대한 감각이 잘 발달하게 될 것이며, 이는 상급과정에서 수학의 법칙성을 느끼는 감각으로 자랄 것이다.

참고 도서

Bain, George
『켈트 예술의 건축 양식The Methods of Construction of Celtic Art』 Glasgow

Brater, Michael / Elsasser, Peter / Zastrow, Wilfried J.
『역동적인 형태그리기Dynamisches Formenzeichnen』
Ausbildungsforschung und Berufsentwicklung 1권, Munchen und Mering, 1993

Clausen, Anke-Usche / Riedel, Martin
『그리기=보기, 배우기Zeichnen=Sehen, Lernen』 Stuttgart, 1968

Davis, Courtney
『켈트 예술 자료집Celtic Art Source Book』 London, 1988
『켈트 전사 문양집Celtic Iron-On Transfer Patterns』 New York, 1989

Kranich, Ernst-Michael / Junemann, Margrit / Berthold-Andrae, Hildegart / Buhler, Ernst / Schuberth, Ernst
『형태그리기:교육에서 형태 감각의 발달Formenzeichnen, Die Entwicklung des Formensinns in der Erziehung』 Stuttgart, 1992

Kutzli, Rudolf
『포르멘Entfaltung schöpferischer Kräfte durch lebediges Formenzeichnen』 해오름, 2004

Merne, John G.
『켈트 장식품A Handbook of Celtic Ornament』 Dublin and Cork, 1984

Niederhauser, Hans / Frohlich, Margaret
『발도르프학교의 형태그리기 수업』 푸른씨앗, 2015

Petrie, Flinders
『예술가와 공예가를 위한 장식적 상징과 모티브Decorative Symbols and Motifs for Artists and Craftspeople』 New York, 1986

Wilson, Eva
『예술가와 공예가를 위한 중세 초기 영국 디자인Early Medieval Designs from Britain for Artists and Craftspeople』 New York, 1987

에른스트 슈베르트 Ernst Schuberth

1939년 단치히(당시 독일, 현재는 폴란드령)에서 태어났다. 독일 하노버와 부퍼탈에서 발도르프학교를 다녔고, 독일 본 대학에서 수학, 물리학, 철학, 교육학을 공부했다.

게오르크 웅거Georg Unger(첫 번째 발도르프학교 학생이자 괴테아눔의 수학과 천문학 분과 대표)와 함께 1964년부터 1966년까지 수학과 물리학 연구소에서 일했다. 스위스 도르나흐에 위치한 괴테아눔에서 발도르프 교사 교육을 받고 뮌헨의 루돌프 슈타이너 학교에서 담임교사와 상급교사로 일했다. 1970년 튀빙겐 대학에서 박사 학위를 취득했으며, 1974년 독일의 빌레펠트 대학의 수학 교수가 되었다. 1978년 만하임에 발도르프 교사 양성을 위한 사립대학을 설립하고 학생들을 가르쳤다. 1990년 루마니아 정부의 초청으로 루마니아 수도 부쿠레슈티에서 발도르프 교사 교육을 시작했다. 또한 러시아 상트페테르부르크에 위치한 게르첸 사범대학과 미국 캘리포니아주 새크라멘토에 위치한 루돌프 슈타이너 대학에 초청을 받아 학생들을 가르쳤다. 발도르프학교 담임교사인 부인 에리카와 슬하에 다섯 자녀가 있다.

로라 엠브리-스타인 Luara Embrey-Steine

UC 버클리 대학에서 영문학 학사, 교육학 석사 학위를 취득했다. 새크라멘토 발도르프학교에서 17년 동안 영문학과 역사를 가르쳤고, 현재는 루돌프 슈타이너 대학에서 강의하는 등 26년 동안 교직에 몸담고 있다.